# Amores adúlteros

# Alfaguara es un sello editorial del Grupo Santillana

## www.alfaguara.com.mx

**Argentina**
Av. Leandro N. Alem, 720
C 1001 AAP Buenos Aires
Tel. (54 114) 119 50 00
Fax (54 114) 912 74 40

**Bolivia**
Avda. Arce, 2333
La Paz
Tel. (591 2) 44 11 22
Fax (591 2) 44 22 08

**Chile**
Dr. Aníbal Ariztía, 1444
Providencia
Santiago de Chile
Tel. (56 2) 384 30 00
Fax (56 2) 384 30 60

**Colombia**
Calle 80, 10-23
Bogotá
Tel. (57 1) 635 12 00
Fax (57 1) 236 93 82

**Costa Rica**
La Uruca
Del Edificio de Aviación Civil 200 m al Oeste
San José de Costa Rica
Tel. (506) 220 42 42 y 220 47 70
Fax (506) 220 13 20

**Ecuador**
Avda. Eloy Alfaro, 33-3470 y Avda. 6 de
Diciembre
Quito
Tel. (593 2) 244 66 56 y 244 21 54
Fax (593 2) 244 87 91

**El Salvador**
Siemens, 51
Zona Industrial Santa Elena
Antiguo Cuscatlan - La Libertad
Tel. (503) 2 505 89 y 2 289 89 20
Fax (503) 2 278 60 66

**España**
Torrelaguna, 60
28043 Madrid
Tel. (34 91) 744 90 60
Fax (34 91) 744 92 24

**Estados Unidos**
2105 N.W. 86th Avenue
Doral, F.L. 33122
Tel. (1 305) 591 95 22 y 591 22 32
Fax (1 305) 591 91 45

**Guatemala**
7ª Avda. 11-11
Zona 9
Guatemala C.A.
Tel. (502) 24 29 43 00
Fax (502) 24 29 43 43

**Honduras**
Colonia Tepeyac Contigua a Banco Cuscatlán
Boulevard Juan Pablo, frente al Templo
Adventista 7º Día, Casa 1626
Tegucigalpa
Tel. (504) 239 98 84

**México**
Avda. Universidad, 767
Colonia del Valle
03100 México D.F.
Tel. (52 5) 554 20 75 30
Fax (52 5) 556 01 10 67

**Panamá**
Avda. Juan Pablo II, n°15. Apartado Postal
863199, zona 7. Urbanización Industrial
La Locería - Ciudad de Panamá
Tel. (507) 260 09 45

**Paraguay**
Avda. Venezuela, 276,
entre Mariscal López y España
Asunción
Tel./fax (595 21) 213 294 y 214 983

**Perú**
Avda. Primavera 2160
Surco
Lima 33
Tel. (51 1) 313 4000
Fax. (51 1) 313 4001

**Puerto Rico**
Avda. Roosevelt, 1506
Guaynabo 00968
Puerto Rico
Tel. (1 787) 781 98 00
Fax (1 787) 782 61 49

**República Dominicana**
Juan Sánchez Ramírez, 9
Gazcue
Santo Domingo R.D.
Tel. (1809) 682 13 82 y 221 08 70
Fax (1809) 689 10 22

**Uruguay**
Constitución, 1889
11800 Montevideo
Tel. (598 2) 402 73 42 y 402 72 71
Fax (598 2) 401 51 86

**Venezuela**
Avda. Rómulo Gallegos
Edificio Zulia, 1° - Sector Monte Cristo
Boleita Norte
Caracas
Tel. (58 212) 235 30 33
Fax (58 212) 239 10 51

# Amores adúlteros

Beatriz Rivas / Federico Traeger

**Fotografías de**
Teseo Fournier

ALFAGUARA

D. R. © 2010, Beatriz Rivas / Federico Traeger
D. R. © De esta edición:
Santillana Ediciones Generales, S. A. de C. V., 2010
Av. Universidad 767, Col. del Valle
México, 03100, D.F. Teléfono 5420 7530
www.alfaguara.com.mx

ISBN: 978-607-11-0687-2

Primera edición: septiembre de 2010

D. R. © Diseño de cubierta: Leonel Sagahón
D. R. © Diseño y composición tipográfica: Fernando Ruiz
D. R. © Fotografías de Teseo Fournier

Impreso en México

*A José Antonio Pérez Enríquez, porque todo comenzó con tu guitarra.*

Todo ser humano debe asumir algún día el peso de
la pasión, como si fuese una cruz.

SÁNDOR MÁRAI


El amor es un algo que, a pesar de ser intangible,
puede hacer bascular toda nuestra vida.

ÉL Y ELLA


... and all I have to do is think of her.

GEORGE HARRISON

# Cero
## (O de cómo empezó todo)

Esa mañana, Él bajó las escaleras oliendo a Ella. Caminó por la avenida sintiéndose dueño de su vida, ligero, con ganas de tener una guitarra para ir tocando y cantando. Entró a una cafetería; fue el primer comensal. Se le notaban los besos en la mirada y el whisky en la sonrisa. La mesera lo atendió, mientras en su cabeza sonaba una canción: *Blackbird*. En tanto esperaba su desayuno, imaginaba que Ella estaba enfrente. Le susurró: Tus ojos son un mar al que reconozco y en el que nunca me he sumergido. Más tarde llegó a su hotel, se tiró sobre la cama y la pensó, mientras su cuerpo se fue hundiendo despacio en una sensación difícil de describir pero parecida a la certidumbre de haber encontrado algo esencial.

# 1

Ella sonríe —porque no puede evitar sonreír cuando lo mira a los ojos— y en ese momento Él le dice que tiene unos dientes preciosos. ¿Mis dientes? Sí, sobre todo el incisivo, éste: es travieso, juguetón. Entonces, sin importar que estén en un lugar público, en ese restaurante donde se citaron para delinear su futuro, Ella le acerca la boca ligeramente abierta para que Él se quede a vivir en sus labios, por siempre.

# 2

¿Es posible que se hubieran conocido en otra vida? Tal vez veinte años atrás, en el centro de una historia breve y aparentemente ligera.

Se reencontraron de manera casual aunque, desde el principio de su correspondencia electrónica, a los dos se les adivinaban las ganas. Unas ganas pequeñitas, apenas visibles.

Probablemente querían escribir, juntos, las primeras líneas de un cuento. Compartir unas horas revisando la trama, las voces narrativas y la verosimilitud de sus personajes. Todo quedaría dentro de un taller literario y detenido en las viejas fotos de su adolescencia. Sólo eso…

Pero ahora los observo, atrapados en un torbellino insensato. El deseo ha tomado el mando y no quiere devolverlos a sus condiciones de origen, a esas vidas cotidianas que, sin darse cuenta, los abrazan, asfixiándolos.

Todo temen. Todo gozan. Caminan a grandes pasos. Enormes. Tienen prisa. Saben que no deben detenerse. No lo hacen. Los instantes se les escapan. Prefieren aventurarse mar adentro a cazar mariposas, a hilvanar futuros perfectos. A inaugurar palabras que le den vida a este amor nuevo.

Nunca se habían encontrado, frente a frente, miradas tan brillantes.

Sus cuerpos parecen reconocerse. Cada hueco que se llena, apaga la sed compartida. Momentáneamente.

Las pieles dialogan mientras ellos sueñan porque sólo eso les está permitido: imaginarse. La realidad, tangible, concreta, les ha sido vedada.

Sigo observándolos: Duermen desnudos, agotados, ensalivados. Sus sexos todavía tiemblan. Besos eternos los contienen. Al despertar, se acarician en la penumbra, despidiéndose. Todo queda por decir y, sin embargo, sus voces han sido aniquiladas.

Pronto se sentirán desgarrados e incompletos. No podrán hacer nada. Saben que si quieren seguir juntos, si quieren volver a existir en el único de los mundos posibles, tendrán que tomar papel y lápiz para crearse. Nada más son eso, nada menos: dos personajes de ficción que, amándose, se van reinventando.

## 3

## 4

—No quiero abrir los ojos.

—Pero ya amaneció, ya despertaste.

—Si los abro dejo de verte.

—¿Te pongo *Here Comes The Sun*?

—¿Y si no sale el sol?

—Ya salió, amor, está radiante.

—No quiero separar los párpados y ver cómo se va haciendo nítida mi realidad sin ti.

—Estoy contigo.

—Estás en mí, pero no aquí.

—Es nuestro amor, déjalo entrar en tus pupilas.

—Duele que entre.

—Duele más que salga.

—¿Cómo empezar de nuevo a vivir?

—Primero imagina que estamos juntos, que mis ojos te penetran hasta el otro lado de ti, el lado en el que hicimos el amor hasta que éste nos deshiciera.

—¿Hicimos el amor?

—Hicimos la noche, hicimos la luz, hicimos el tacto, hicimos el tiempo y el espacio, hicimos una promesa silenciosa.

—No me atrevo a despertar.

—Despertaste. Quizás no te atrevas a mirar lo que hay cuando uno se despierta. Como los objetos que hace un parpadeo eran tan comunes y ahora te miran como si no te conocieran.

—Y las voces que hace un silencio eran familiares.

—Pero que ahora son paisaje y no destino.

—Si abro los ojos, ¿me escribes algo?

—Ya te lo he escrito. Hay una docena de palabras esperándote en el frutero.

—¿Será verdad lo que sentimos?

—¿Tendrá sentido la verdad?

—Voy a abrirlos despacio, mirando tus cejas, los arcos que me conducen.

—*Here comes the sun.*

# 5

Ambos fueron golosos y antojadizos. El queso les fascinaba. Brindaban con ron, whisky, vino tinto… o con lo que les diera la gana. Sumando sus odios quedaban fuera la mantequilla y la cebolla: las despreciaban. Vivieron alrededor de una mesa y de una cama. Comiendo. Comiéndose sin descanso. Murieron con la panza llena, empachados de sexo y un brillo pícaro en la mirada.

# 6

Se conocieron en una escuela hace muchos años.

Se reencontraron por *internet*, obedeciendo al dictado de los tiempos.

Tuvieron que despedirse en menos de quince días: así lo ordenó su conciencia cotidiana.

Pero se quedaron dormidos, uno adentro del otro, soñándose y amándose eternamente, sin que nadie más lo notara.

## 7

Hemos acalambrado a más de uno con esta noticia nuestra.

## 8

Cuando Ella se enteró, por la indiscreción de alguna persona, que su esposo le era infiel, rápidamente cubrió su rostro con ambas manos y bajó la mirada. No quería que nadie notara esa enorme sonrisa.

# 9

Cuando Él se enteró que los viajes y la novela de su esposa sólo eran la excusa perfecta, le llamó, extasiado, a Ella. Entonces, finalmente pudieron inaugurar sus planes y recorrer su vida nueva.

# 10

Amanece. Ella todavía duerme. Él le susurra al oído: Espero que tus párpados, al separarse, reciban un día tan hermoso como el paisaje de tus pupilas.

Después le da un beso acechante, suave, insistente, incesante, contundente y certero al clítoris de su razón.

# 11

Se lo dejó por escrito. Una nota en tinta negra sobre papel reciclado, recargada en su computadora:

Me tienes al borde de la felicidad todo el tiempo. Eres la mejor noticia del día y de la noche. Mis orgasmos reanimados y plenos. Mi fantasía a toda marcha. Mi travesura excelsa. Mi reina, mi concubina, mi escondite, mi hallazgo, mi luna llena, mi alma gemela, mi nalga gemela, mi micrófono, mi auto exploración, mi regalo, mi tigresa cachonda, mi último deseo, mi primer pensamiento.

# 12

# 13

Quince días después de su viaje, el contador de la empresa, ese gordito que dista mucho de ser simpático, le reclama:

—Nos están cobrando una almohada de la habitación 1403, cabrón. ¿A poco de veras te la robaste?

—No era una almohada —contesta Él, sereno—. Era un anillo de compromiso.

# 14

Tu saliva es la salida de emergencia de mi vida y la entrada de urgencia al mundo donde quiero estar. Es mi crema corporal, mi perfume. Es la humedad de mi boca, de mi sexo, de mis lágrimas. Es mi sueño vital.

# 15

—¿Te puedo hacer una pregunta?

—Supongo que puedes.

—¿Siempre eres así de sensible?

—¿Física o emocionalmente?

—Ambas.

—¿Con mi marido?

—No, con tus amantes.

—Tonto.

—Es decir, en general, ¿eres así de entregada?

—¿Sexualmente hablando?

—Sí.

—En el sexo se expresan las emociones, ¿no?

—¿Las del alma o las de la carne?

—¿Acaso son distintas?

—Tú dirás.

—Me preguntas si soy siempre igual de entregada…

—De apasionada.

—Tu pregunta contiene tantas otras, que te la voy a responder por capas.

—Como las cebollas.

—Odio la cebolla, mejor digamos que como una pintura.

—De acuerdo.

—Hago el amor con mi marido en promedio una o dos veces a la semana.

—*Wow*. Después de tantos años, no está mal.

—No, no está mal. Pero tampoco está bien.

—¿…?

—Él dice que le gusto cada vez más.

—¿Y tú que dices?

—Que procuro que él termine lo antes posible porque ya no lo disfruto.

—¿Y te vienes?

—Sí, claro. Bueno… a veces. ¿Quieres saber la verdad? Casi nunca. Además, hay una gran diferencia entre venirse y alcanzar un clímax. En lo doméstico, a veces me vengo y a veces no, pero llegar en cuerpo y alma hasta donde la razón no llega es muy distinto, y es tuyo y mío.

—¡…!

—Una venida casera empieza con la temperatura fría de la crema lubricante en los dedos; cerrar los ojos para elegir, entre el álbum de las fantasías, la foto que más pronto me saque del apuro. Y escoger, del menú cotidiano, el frote y la fruta que sacien con más premura.

—¿Y un clímax tuyo y mío?

—Ese empieza con el deseo. Y el deseo no se vende en ninguna farmacia.

—¿Y con qué termina?

—Con el asombro. Y con las prioridades patas pa' arriba.

## 16

Es un día lluvioso, de un tenue chipi chipi. Él y Ella están en un restaurante desayunando chilaquiles verdes. Deliciosos. Ríen. Se platican sus anécdotas de la adolescencia y la adultez temprana. Aventuras. Viajes. Recuerdan y ríen más. Se dan cuenta que hay muchas coincidencias. Lugares y personas en común. Están felices. No saben que eso, su pasado, es lo único que les queda.

17

## 18

Él le escribió:

Tienes una cara de proyecto a largo plazo, que no puedes con ella.

Al día siguiente la abandonó sin darle explicaciones.

# 19

Incoherencia: Cuando logran un instante de magia, Él bufa y gruñe. Sin embargo, no es un animal. Ella dice Dios mío, Dios mío, aunque no cree en Dios.

## 20

Él le dice que está perfecta, que tiene rostro de niña. Entonces, ella sale a la calle con el cabello revuelto, el rímel corrido, olor a sexo y una sonrisa sospechosísima en los labios.

## 21

En el mismo momento, tres niños de edad similar abren los ojos, sorprendidos. Lloran. Saben que están perdiendo algo. Aunque no se conocen pues viven en diferentes partes del mundo, los une algo muy fuerte, que los desgarra.

## 22

Él le dijo:

En tu mirada flotan nubes nunca antes vistas, en tus labios hay arroyos cuya agua sacia una sed que jamás había tenido, en tu piel hay mil regalos por abrir, mil ventanas para entrar y cientos de miles de caminos por recorrer. Hay tardes de sol y de vino en nuestras horas, si es que decidimos arrancar sus racimos, hay caricias que vuelan en parvadas migratorias, promesas y proyectos en capullos, amaneceres de sexo e historias, palabras semilla en cada silencio mutuo, todo listo para germinar, para abrirse en fruto, un destino arbolado y virgen que espera nuestra llegada, por si nos atrevemos a partir.

Ella lloró de gozo con la sola idea de atreverse.

# 23

Cada mail tuyo es un clímax mío. Estoy empezando a experimentar correos múltiples...

24

# 25

Ella:
Dejó de funcionar mi cerebro… ¿y si deja de funcionar mi corazón?

Él:
Entonces te doy el mío, que ya es tuyo.

## 26

Nuestra conversación, como siempre y como nunca, se vuelve papalote y se eleva, gira, sube, alcanza parvadas que navegan fácilmente, remontándonos a una luminosidad simple, tanto, que lo demás no existe. Nadie. Nada. Sólo tú y yo, esta botella de vino que me pasas y te paso, estas sábanas frescas, aquella ventana con un atardecer en el que tu cuerpo y el mío se convierten en un río. Hacemos un amor nuevo y abundante, hondo y caudaloso, cambiante, encauzando cada palmo hacia un océano infinito al que nuestras pupilas llegan en atisbos; nos arrebatamos la carne, nos la ultrajamos, la estrujamos, la arañamos, la acomodamos en apetencias sublimes, egoísmos implorantes, desbordes irracionales y soltamos las amarras del tiempo para caer y caer y caer en el estruendo de una catarata de gemidos, gruñidos, improperios, súplicas; un grito largo, entrecortado, un fuelleo quejumbroso, una deidad que no nos cabe en la garganta.

Abres un párpado. Yo abro el otro. Aquí estamos. En este mundo. Exactamente. Tú y yo. Empapados. Palpitantes. Protagonistas. Testigos. Cómplices. Recién llegados.

# 27

Qué delicia eres. No tengo idea de cómo describir la inmensa atracción que siento por ti. Será tu cara de niña inglesa, tus tetas de dama cortesana, tu piel de gran señora, tu sonrisa hippie, tu lengua golosa, tu sabor a fruta íntima, tu cadencia indecente, tu forma de acomodarte y de llegar, la tensión de tus muslos, tus frases rotas, la manera en la que cabemos en un asombro tras otro, tu risa, tu mirar de pronto manso.

Me tienes. Y me encanta.

28

## 29

—Amanecí con mariposas en el estómago… ¿Tendré que ir con un gastroenterólogo o con un psiquiatra?

—¿O donde un entomólogo? Yo deberé ir a ver a un oceanógrafo. Porque en alguna playa nudista, vientre adentro, el mar lame la arena como si cada ola fuera la primera.

—¿Y si mejor nos convertimos en especialistas de nosotros mismos, yo de ti y tú de mí? Consultar a un oceanógrafo es muy caro. Recomiendo que nos aventuremos mar adentro, una vez más, antes de que las mariposas decidan descansar un rato.

—Me parece muy buena idea lo de ir al océano. ¿Qué tesoros y qué extrañas criaturas nos habitarán?

—Ya lo veremos [guarda silencio].

—Estoy suculentamente intoxicado de ti.

—Y yo, de ti estoy envenenada.

## 30

Le dice Él a Ella, o Ella a Él, poco importa:

Por causar tanto dolor a nuestros seres queridos, estaremos condenados a pasar cientos de años en el infierno. Dime, ¿los quieres pasar conmigo?

# 31

Ya soy Tuya. Eres Mío. ¿Qué hago con mis otras per-
tenencias?

# 33

Tengo hambre de ti... pero estoy a dieta.

# 34

En el instante en que sus miradas hacen contacto, se desvanecen las desveladas, los arañazos de la rutina celosa, los malos entendidos, los dolorones de cabeza, las crisis existenciales, los cuestionamientos, los horarios hipertensos, las agendas rabiosas, la taquicardia y las intolerancias a todo lo que no sea Él y Ella.

Robarse una, tan solo una de las cincuenta y dos semanas del año, además de un incalculable efecto dominó, tiene un precio que la vida se cobra con ironías. En el caso de Ella: un ascenso de puesto reciente. Al esmerarse, con admirable habilidad, en terminar sus proyectos para escapar una semana con Él, su supervisor la premia nombrándola jefa de su departamento. Resultado: proyectos de mayor envergadura y mucho más complicaciones. En el caso de Él: rediseñar la identidad corporativa de la empresa en la que trabaja. El dueño de la compañía, al enterarse de la rapidez y el acierto con los que Él simplifica lo que otros complican, lo honra públicamente con tan codiciada responsabilidad. Resultado: envidias, zancadillas y estar bajo la lupa del jefe de tiempo completo.

Ese ha sido el precio de robarle una semana al trabajo, pero robársela a los cónyuges e hijos ha desencadenado enfermedades espontáneas, chantajes inmorales, tartamudeos súbitos, llantos secos, berrinches sin provocación, egoísmos atávicos, tiranías operísticas… en fin, una golpiza emocional que, si fuera visible, los rostros de Él y Ella, que de milagro están vivos y que por fin se encuentran frente a frente en el aeropuerto, lucirían deformados por los puñetazos de un calendario autómata que se defiende a muerte.

Pero aquí están y basta con que sus ojos se encuentren para perderse la Una en el Otro. Dos pequeñas maletas y una semana sin estrenar. Se besan y poco a poco reviven, como náufragos que beben su primer trago de agua.

# 36

¿En qué mundo cabe que, habiéndonos conocido tan pronto, nos hayamos conocido tan tarde?

## 37

Ella quisiera cambiar de pluma: es hora de que escriba su vida con otra tinta. Tal vez azul.

## 38

—No entiendo qué me pasa.

—No te preocupes, esto sucede a veces. Debe ser el estrés.

—Es que no dejo de pensar que no te convengo, no sé si te estés imaginando a un hombre que no soy.

—Estoy contigo porque amo tu realidad. No necesito fantasear con nadie. Me encanta tu manera de ser. Y quiero seguir conociéndote.

—¿Y si de pronto te das cuenta que no soy el que esperabas?

—Bueno, aquí ya entramos al terreno de las posibilidades funestas. ¿Qué tal si me da un aneurisma justamente el día que nos vayamos a vivir juntos y me quedo paralítica y en silla de ruedas, no?

—Ay amor, es que tu vida ha sido tan perfecta, tan llena de sol y de gente que te quiere y que te sonríe. Y yo a veces pierdo mi presencia, ¿me entiendes?

—No. Explícate, por favor.

—Hay días en los que, aunque me encuentre físicamente en un sitio, no se nota que estoy ahí. Es como si mi masa no tuviera presencia.

—¿Como que te baja la regla?

—No… bueno, más o menos, pero en lugar de sangre, lo que pierdo es esencia. Me hago altamente prescindible.

—¿Y hoy es un día de poca presencia?

—Lo es. Por eso mi sexo no se nota. ¿Lo ves?

—Que no tengas una erección una de tantas veces, no es tan dramático.

—Hoy es un día dramático. Todas mis células se rebelan en mi contra. Me odian. Quisieran dar un golpe de estado y mudarse a otra persona o que alguien más me reemplazara. Hoy debo guardarme mis opiniones y mis comentarios y mis observaciones. Hoy las cosas tienen rostro y me miran a disgusto. Hoy hasta el aire intenta barrerme lejos. Mis pensamientos discuten, a puerta cerrada, cómo deshacerse de mí. Las bolsas debajo de mis ojos guardan bombas de tiempo que harán estallar, en cualquier parpadeo, para que envejezca quince años de golpe dentro de la regadera o sentado en el excusado. Hoy mi suerte es una perra que muerde. Hoy soy el hombre más aburrido del mundo y en cualquier momento llega la Asociación Guiness de Records a establecer la nueva marca.

—Qué pena que un hombre tan interesante no se deje complacer por una señora que se muere de ganas de ser puta y que la reconozcan en Guiness como la más caliente de todas las amantes. Mira: ya estás regresando…

—Creo que necesitaba confesarte que mi existencia a veces fluctúa y se desvanece. Gracias por escucharme sin recomendarme ningún medicamento ni doctor ni acupunturista ni dieta alguna ni nada más que tus ganas de estar aquí conmigo, tal cual.

—Uy, ya te pusiste como me gusta.

—¿Ves? Como siempre, estás en mis venas.

—Hoy te vas a morir pero de puro asombro, agárrate, mi vida…

## 39

Prometimos amarlos por toda la eternidad y no lo cumplimos. Ahora, para pagar nuestro pecado, estamos entrando al paraíso.

# 41

—Dime la verdad —le susurra Ella al oído—:
si no me hubieras conocido, ¿me querrías de igual manera?

# 42

Él y Ella, en un pacto tácito, decidieron confesarse de antemano sus defectos y pecados. Fue una manera de limpiarse, de renacer transparentes. Hablaron, también, de cosas tan íntimas como erecciones y humedades. Enseguida supieron que no se podrían hacer ninguna promesa pero, también, que no la necesitaban.

## 43

Si estuvieras aquí, me acurrucaría junto a ti. Pero como no estás, me estoy acurrucando junto a tu recuerdo y junto a mi esperanza.

## 44

Era un sábado largo y sinuoso. Ella se acababa de ir, dejándolo solo. El único asidero que Él encontró para no ahogarse en el mar de su tristeza, fue componerle una canción. Por la noche, se la mandó recién salidita del horno —música, voz, arreglos y letra— esperando, con ansiedad, saber de Ella.

Dónde pongo
El mundo que inventamos
Los besos que nos dimos
Las cumbres que alcanzamos
El amor que nos hicimos

El peso de tus pechos en mis manos
El éxodo del mundo que habitamos

Tu forma de llegar
La luz de tus pupilas
Tus muslos en mi cuello
Tu magia desmedida
Tu modo de cumplir
Hazañas imposibles
Tu forma de invertir
En sueños invencibles

Dónde pongo
Tus palabras y las mías

Nuestra nave sin bagaje
Toda nuestra sincronía
Nuestro amor sin equipaje

Dónde pongo…

## 45

Qué rica tu voz. Digamos que va desde la textura del terciopelo rojo-casi-negro hasta la de una lija sutil y tibia. Es una voz juguetona, tierna, traviesa, masculina. Es, lo confieso, la voz que adoraría escuchar el resto de mi vida. La voz con la que me gustaría viajar, despertarme, pasar tardes enteras compartiendo un sillón mientras leo alguna novela. La voz con la que quisiera ir al cine, a pasear por algún parque. La voz perfecta para que me susurre palabras cachondas al oído. Para que me cante mientras cierro los ojos y sueño fantasías. Es la voz que deseo escuchar, gozosa, por y para siempre. Amén…

## 46

Los dos son hipertensos…
¿Será porque sus corazones tenían prisa por encontrarse?

# 48

Quiere comérsela a besos, aunque teme indigestarse.

## 49

Él:
Eres una loba casada con un león. Y yo, un lobo que vive con una tigresa.

Ella:
¿Sabías que los lobos son monógamos?

## 50

Te amo con locura, con cordura, con paciencia, con arritmia, con ausencia, con prestancia, con esperanza, con alivio, con urgencia, con aliento, con dolor, con ensoñación, con alegría, con desesperación, con lujuria, con fantasía, con planes, con humildad, con arrogancia, con estridencia, con colorido, con silencio, con cualquier roce, con cualquier pretexto, entre los párpados, en mis venas, en mi pecho, entre mi cráneo, en mi escroto, entre las uñas, bajo la lengua, en cada momento en el que renace la existencia, en todas mis moléculas, en mis vidas pasadas y futuras, desde el embrujo, desde la compasión, desde el hurto, desde la jactancia, desde el primer instante, te amo mujer, te amo artista, te amo meretriz, te amo diosa, te amo río, te amo océano, te amo firmamento, te amo pared en la que pinto tu rostro, te amo tatuaje en mi ventrículo izquierdo.

51

## 52

Él se lo dijo a Ella cuando todavía no estaba ciego:

Te busco en cada parpadeo.

## 53

Sin aviso los ahogó un tsunami, los atropelló un tren, los enterró un terremoto, los asfixió el humo, les pasó por encima un camión de carga, los despedazó un tanque de guerra, el fuego quemó sus pieles, los azotó un ciclón de mil deseos.

Ni se enteraron. Ahora… es demasiado tarde. Por eso sonríen, maravillados.

## 54

Ya no recuerdo quién le escribió a quién:

Tus palabras, parvadas de bien, son curativas y esenciales y verdes y rosadas y me cubren como un manto energético. Te amo: llevo tu pulso en mis venas.

## 55

Me encantaría atarte las manos en la cabecera de la cama, vendarte los ojos y dedicarme durante horas a explorar tus zonas erógenas hasta convertirlas en mis zonas postales.

Mis armas: un vibrador, una pluma esponjosa, el vaho de mi boca, mis labios y, muy pero muy de vez en cuando, mi lengua. Torturarte dulcemente, sin prisas, dueños de la tarde, sin permitir que tus sentidos se sacien en un orgasmo. Tocarte, hurgarte, chuparte los pezones, recorrer tu monte de Venus con mis yemas sin presionar, retirarlas el instante previo a que tu oleaje embravezca y reemprender las caricias, subiendo y bajando hasta el principio de tu humedad, pero sin tentar tu jugo, posar mis labios en tu sexo y con el calor húmedo de mi respiración, entibiar tu clítoris henchido, sentir el calor emergente de tu vulva mientras tu voz dibuja una frase inconexa, rota, un lamento, una súplica-grito y en ese instante lamer despacio desde tu ano hacia tu clítoris y sentir el empujón feroz de tus pies sobre mis hombros para que ya no te toque más.

Quiero que seas mía.

# 56

—Dice mi esposa que consulte con mi médico pues cree que debo tomar viagra.

—¿Qué? ¿Viagra tú? ¡Por Dios, no me hagas reír!

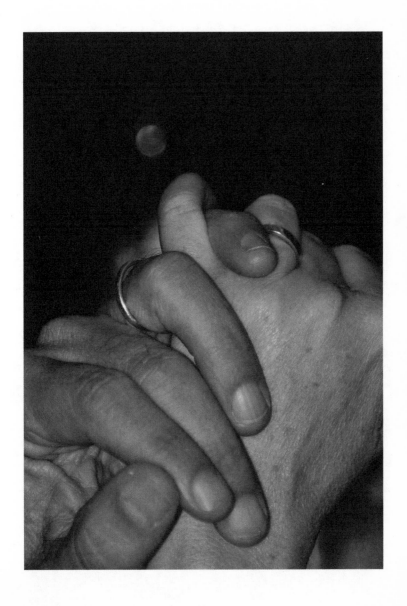

## 58

El grito del ángel los estremece:

"Cuando encuentras a tu alma cónyuge equivale a vivir el cielo, el paraíso, estando encarnado. Pocos seres humanos son tan afortunados."

# 59

Ella está en el salón de belleza. Saca su teléfono para marcarle: quiere preguntarle de qué color pintarse las uñas de los pies. En ese instante se da cuenta de que está profundamente enamorada.

## 60

No puedo dormir sin decirte que me haces muy feliz. Aunque suene cursi. Has llenado mi vida de luz. Aunque suene religioso. Te adoro. Aunque suene fanático. Y no quiero que esto se acabe nunca. Aunque suene soñador.

Te amo. Aunque suene prematuro.

# 61

Esta es la primera vez que te escribo con alcohol en las venas. Me tomé tres tragos y se me abrieron las compuertas del amor como nunca. Qué te digo. Estoy absolutamente enamorado de ti. ¿Qué se me antoja? Que un día me llames por teléfono y me pidas que venga a tu lado. No sé lo que somos, un paréntesis en nuestras vidas, un signo de interrogación, de exclamación, puntos suspensivos o una hoja en blanco. Pero somos y de qué manera. ¿Para qué nos habrá puesto el destino en el mismo punto decisivo? ¿O es que abordamos el tren del devenir con boleto de ida pero no de regreso? No puedo pensar. Lo has dicho bien, no intentemos pensarlo por ahora. Soy puro sentimiento. Me dan ganas irracionales de renacer a tu lado. Todo lo irracional, lo que no deberíamos hacer ni decidir es precisamente lo que deseo. Mi corazón se siente libre al desear estar contigo para siempre. Aunque todo tenga fecha de caducidad, creo que duraríamos muchos años juntos, muy intensos, muy cómplices, muy divertidos. Y muy amados. Y resguardados. Y protegidos. Y asombrados.

Estos son los momentos mas felices que he vivido en un chingo de vidas. Estoy seguro que recordaré estos días como la cúspide, como el mar, como si de pronto me hubieran concedido la habilidad de volar y desde hace dos semanas lo estuviera haciendo. Como si fuese un ciego que recobró la vista por quince días.

Te amo. Y deseo con toda mi alma que se me cumplan todos los deseos incorrectos y que la vida nos haya tendido una salida, no una trampa, no una broma, no una lección.

No voy a poder dormir. Pero no importa. Estoy en plena metamorfosis amorosa. Soy un cabrón que nació para conquistarte. Soy una gran historia de amor, pero únicamente a tu lado.

# 63

Ella se despierta en su cama perfecta, en su casa perfecta, en su colonia perfecta. Amanece en su vida perfecta, con un marido perfecto a su lado y dos hijas perfectas esperándola para que, como todas las mañanas, las lleve a la escuela.

Respira satisfecha: tiene lo que siempre deseó, imaginó. Amor, libertad, familia, suficiente dinero para no angustiarse, comodidades, viajes, ternura, comprensión, aventuras, sonrisas. Armonía. Amistades en común. Intereses. Proyectos a largo plazo.

Y sin embargo, no puede dejar de pensar en esos ojos luminosos que no le han hecho ninguna promesa ni le han ofrecido más que la simple tentación de saberse enamorados.

# 64

¿Cómo puede un hombre que ya es tuyo regresar con una mujer a quien ya no le pertenece? ¿Por el amor a su hijo? Tú y yo somos nuestros, pase lo que pase.

Y aunque lo primero que pase sea el tiempo, deseo que pasemos juntos el tiempo que nuestra historia de amor merece.

# 65

—¿Cuántas veces me prometiste que me amarías por siempre?

—Ninguna

—Varias, muchas. Muchísimas, de hecho.

—Tal vez, pero no hablaba en serio.

—¿Y ahora?

—¿Ahora qué?

—¿Hablas en serio?

—De la manera más seria en la que puede hablar un hombre recientemente enamorado.

—¿Enamorado de quién?

—Poco importa. De ti, no. Hace mucho tiempo que no te amo.

—¿Y me lo dices así, tan tranquilo?

—Porque tranquilo estoy. Bueno, también un poco ansioso.

—Tienes prisa, ¿eh?

—Quisiera terminar de hacer mi maleta.

—¿Regresarás esta vez?

—Es probable. Ya sabes que siempre acabo decepcionado.

—Y yo siempre termino aceptándote nuevamente.

—Porque me amas.

—Porque te odio y sé que, conmigo, tu destino será insoportable.

—Me voy. Por fin.

—¿Ya guardaste tu pasta de dientes?

66

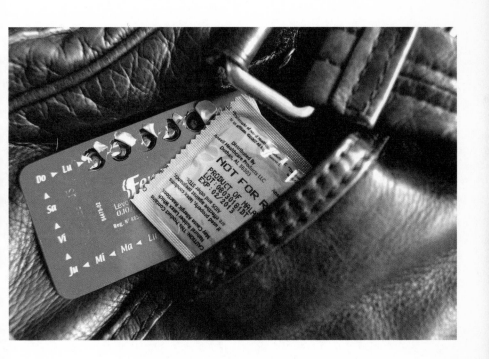

## 67

Ella tenía las manos, los labios y la lengua de una cortesana.

Él la amó por eso.

También por eso la dejó.

## 68

Se escribieron una exhaustiva lista de defectos y virtudes. Leyeron y analizaron. Casi aprendieron de memoria cada punto. Creyeron que así se conocerían, pero en realidad no supieron quiénes eran hasta que degustaron sus salivas.

## 69

Creyeron en la magia, en la fantasía. Ella se transformó en hada. Él, en Pegaso. Desplegaron las alas y emprendieron un feliz viaje del que no han regresado.

# 70

—Llevas quince minutos pensándolo. ¿Te da miedo equivocarte?

—Me da pánico. Siempre he odiado tomar decisiones.

—¿Por?

—Porque al elegir un camino, necesariamente dejamos otro fuera,

—¿Por ejemplo?

—¿De verdad quieres un ejemplo? Está bien, tú lo pediste: o me quedo con mi esposa o me voy contigo.

—¿Y no puedes ser como todos los hombres, que tienen una mujer para su gimnasia y otra para su altar? Cada una en su cajón, muy bien acomodaditas.

—No: estoy demasiado enamorado de ti.

—No te preocupes, esa enfermedad se quita con el tiempo. No es progresiva.

—A veces odio tu extremo raciocinio.

—Y yo tu emotividad sin límites.

—Es la única manera de vivir que conozco: apasionadamente.

—Si me eliges, si insistes en que tu brújula apunta hacia mí, seguro te vas a equivocar, pero...

—¿Estás tratando de asustarme?

—...pero si permaneces con ella, siempre te quedará una duda que te irá carcomiendo.

—Lo dicho: odio tomar decisiones.

—Ya estamos filosofando demasiado. Dime, Pegaso mío, ¿has decidido?

—Sí, es definitivo. Como no hay de vainilla, prefiero una bola de chocolate. No, mejor de guanábana. ¿O fresa? Mmmm… El de mango se ve rico, ¡qué bestia!

—¿Ya?

—Espérame tantito, no logro decidirme.

# 71

Ella:
¿Por qué quieres besarme?

Él:
Para quedar zurcido a tu cuerpo.

72

# 73

El niño busca la palabra "adulterio" en el diccionario. Teme que sea una enfermedad incurable. Su pequeño dedo recorre los vocablos: *adiós, adivina, ad libitum, adorar, adrede, adrenalina.* Cuando llega a *adular,* su mamá la llama a la mesa: la comida está servida. Como tiene tanta hambre, el pequeño decide dejar el final de su infancia para después del postre.

# 74

Él tiene un amigo. Un día antes de que lo operaran, tuvo que hablar con el cirujano. No quiero que me suban a mi habitación hasta que no haya salido por completo de la anestesia. Debe prometérmelo. No importa cuánto me cueste estar en la sala de recuperación el tiempo necesario. Está bien, no es cuestión de dinero, pero lo mío es asunto de echar a perder mi vida. ¿Sabe, doctor? Cuando estoy saliendo de la anestesia me da por hablar, por decir cuanta cosa me pasa por la mente y yo tengo un secreto que debo guardar a toda costa. En la habitación van a estar mis hijos y mi mujer, esperándome, y no deben enterarse. No voy a deshacer un matrimonio de más de veinte años. Se lo ruego, no me suban hasta que no haya recuperado la conciencia totalmente. ¿Qué pasaría si, en voz alta, repito su nombre? ¿Sabe, doctor? Cuando despierto, siempre tengo su rostro en mi mente y su nombre en mis labios.

# 75

Ella tiene una amiga experta en amores adúlteros. La amiga vive lejos pero, conociendo sus dudas, sus miedos y sus ganas de hacer posible lo imposible, le mandó un correo que dice:

El amor debería ser razonado, razonable, conveniente, prudente, de acuerdo con las reglas sociales y familiares, pero entonces no sería amor. Lo único que te pregunto es… ¿puede una pasión resistir lo cotidiano y cuánto se debe arriesgar para averiguarlo? Mejor goza el presente. No hagas cortes a tontas y locas. Conserva lo que tienes con la amplitud que esto significa en todos los frentes. Claro, es trabajo de equilibrio, pero tú tienes la inteligencia suficiente para caminar por la cuerda floja y admirar el panorama. Las caídas están descartadas de antemano. Sólo un imbécil se lanza al vacío si no tiene un paracaídas como el que inventó Leonardo da Vinci. Recuerda que la mujer es la que dirige, mide, permite, alienta, apasiona y seduce. Así que brindemos por la madurez del corazón.

76

## 77

Gracias por decorar mi habitación con tu sonrisa, con tu voz, con tu mirada, con tus diosmíos y con esa piel tuya que me ha hecho renacer lleno de vigor, de locura, de ganas de vivir plenamente como si cada minuto fuera el último. Gracias por permitirme morder duraznos e higos, encontrar manantiales y depositar mi voz en un grito tan hondo como el misterio.

En la vida hay un amor que verdaderamente nutre. Un amor con el que nos expandimos y crecemos hacia los racimos que ni siquiera sospechábamos. Eres el fruto más dulce, el que mejor sacia mi hambre de tiempo, el que me abre apetitos nuevos e infinitos y el que más me recomiendan mi cardiólogo, mi psicólogo y mi almagemelólogo.

## 78

Él regresó a su casa muy tarde por la noche. Abrió la puerta. El lugar estaba en silencio. Dejó sus cosas en la entrada. Aspiró los aromas, para reconocerlos. Observó el ambiente, tocó las paredes, vio los muebles y los cuadros. Horrorizado, comprobó que todo le era ajeno.

# 79

Ese atardecer era pura transparencia. La luz lo bañaba todo en una luminosidad diáfana, tibia, generosa. La higuera, el árbol del aguacate, la fuente, las libélulas, los laureles, los techos lejanos de las casas, las montañas, Él y Ella.

Bebían McCallan en las rocas. Posados sobre el calor de unos escalones de piedra, se miraban a los ojos y ahí veían, quizás sin advertirlo, un manantial de tiempo nuevo.

—¿No sientes como que últimamente en el aire vuelan parvadas y parvadas de la palabra "sí"?

—Es como si todo estuviera de acuerdo con nosotros, a la mejor soy muy ilusa, pero así lo siento.

—Desde que te conozco, las parvadas de "no" emigraron.

—Suena lindo, pero…

—Creo que ya sé lo que nos pasa. Y no estoy tratando de ser el típico hombre que actúa como si lo supiera todo.

—A ver, ¿qué vas a decir?, ¿que creíamos ser felices pero al conocernos nos dimos cuenta de que la felicidad es el deseo de existir con la mayor intensidad posible?

—No, eso ya nos lo dijimos sin palabras.

—¿Con saliva?

—Sí, como dijiste el otro día: saliva de emergencia.

—Ya sé, vas a ampliar el tema de tu comparación del refrigerador con la felicidad.

—Malvada, no me vas a perdonar nunca mi pésima metáfora; estaba borracho.

—La verdad es que no está tan mala, bobo, simplemente me dio risa la seriedad con la que la dijiste: "Uno cree ser feliz igual que cuando cree escuchar el silencio, pero de pronto, ¡puf!, el motor del refrigerador descansa y se da uno cuenta de que en realidad no había silencio". Y de una manera similar, lo que pensábamos que era la felicidad, no lo es.

—Moraleja: las cosas supuestamente calladas son las más peligrosas.

—Y dale con tus moralejas. Pero bueno, te interrumpí, ibas a decir algo.

—Sí, ¿te sirvo otro whisky?

—Por favor.

—Bueno, salud.

—Salud.

—Lo que te iba a decir es que ya sé lo que nos pasa. Creo que nos están usando nuestros antepasados.

—¿Silenciosamente?

—Y amorosamente.

—Qué interesante…

—Mira, anoche, cuando te vestiste estilo *belle époque*, me miró una mujer desde de tus ojos. Mientras nos gozábamos, me veía como a través de los tiempos y en sus ojos fulguraba una súplica, no sexual sino existencial, era un pedido multitudinario, sus pupilas traían un recado de todas las mujeres y los hombres que nacieron, se reprodujeron y murieron para que pudieras ser. Todos los ojos que desde hace miles de años existieron para que mires, me miraban. Y cuando llegamos juntos al clímax, me sentí súbitamente habitado por las generaciones anteriores a mí, las personas que existieron para que yo estuviera en la cama contigo, los corazones, las vergas, las manos, los brazos, las lenguas, las venas conteniendo un océano de la sangre que se mantiene viva en mí, se congregaron para que tú y yo logremos lo que nacimos para lograr. Nuestros antepasados, desde la muerte, nos suplican la vida.

—Que nos amemos sin miedo.

—Sí, que nos arriesguemos. Que lo dejemos todo para tenernos.

—Para hacer nuestra historia.

—Y vivirla, pase lo que pase.

—¡Uta! Y esta noche me voy a vestir de monja. ¿Eran muy religiosos en tu familia?

—Salud.

80

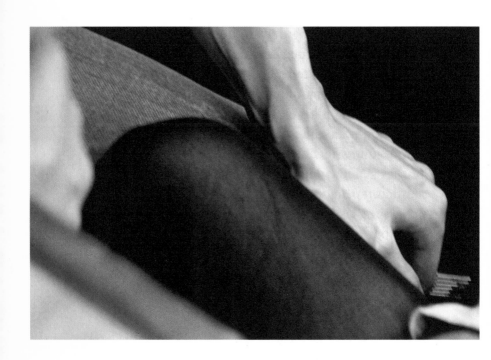

# 81

Ella tiene un amigo que ha jugado al adulterio de una manera perfecta, durante quince años. Conoció a una mujer mientras hacía ejercicio en el gimnasio. Le pareció encantadora y, sobre todo, admiró sus piernas largas y bien formadas. Conversaron un rato mientras usaban dos caminadoras contiguas. Poco tiempo después, él rentó un pequeño departamento al lado del gimnasio. Desde entonces, todos los martes y jueves, después de ejercitarse en los aparatos, se ejercitan en una cama *king size* que el resto de la semana está abandonada. Disfrutan tener sexo sudados. Adoran sus olores, la humedad de las pieles. Al pasar una hora, se bañan juntos para regalarse las últimas caricias. Él sale antes, hacia su oficina. Ella se maquilla con calma mientras toma un café, y corre al trabajo. Los dos están felizmente casados y nunca han tenido la tentación de verse fuera de esas cuatro paredes. Llevan quince años de sexo sabroso, de erotismo sin compromisos ni promesas, fuera de la vida cotidiana. Y lo mejor de todo: ambos mantienen una figura envidiable.

82

## 83

Él tiene cinco amigos que también están insatisfechos pero no se atreven a correr el riesgo de enamorarse y echarlo todo a perder. Quieren a sus esposas y les gusta su vida confortable y ordenada. Entonces, alguien les da una idea que, al parecer, está de moda. Contratan a una bella estudiante, de familia decente, pero que necesita el dinero para terminar de pagar la maestría. La investigan lo más que se puede investigar a una persona. Firman un contrato: discreción absoluta es uno de los puntos. Uno más: mientras sea la amante de los cinco, no puede tener relaciones con ningún otro hombre. Ella les entrega, a principios de cada mes, los estudios de laboratorio que comprueban que no tiene ninguna enfermedad venérea, y menos aún el VIH. Entre los cinco rentan un estudio amueblado, "perfecto para ejecutivos solteros". Eligen el día conveniente. El abogado prefiere los lunes. El arquitecto y el dueño de la empresa importadora discuten un rato sobre el jueves. Alguno de los dos acaba cediendo. Así, cada uno resuelve su vida sexual sin culpas, descargando su semen una vez a la semana.

## 84

—¿Ves algo?

—Nada, sólo negro.

—¿Segura?

—Sí.

—¿Está muy ajustada la venda?

—No. Está bien.

—Voy a desabotonarte la blusa.

—Uy…

—¿Sientes mis palmas?

—Sí, tan cerca de mi piel que me queman.

—Toma mi brazo, recuéstate boca arriba.

—¿Qué me vas a hacer?

—Quiero que veas el paraíso que hay detrás de tus párpados.

—¿Aquí?

—Sí. Ahora eleva tus brazos.

—¿Merezco ser esposada?

—Y condenada a la paciencia. ¿Estás cómoda?

—Me siento demasiado expuesta.

—¿Te lastiman las muñecas?

—No.

—Voy a sacarte los jeans. Y las bragas.

—¡…!

—…

—¿Dónde estás?

—…

—Ay, sí… ¿qué me haces?

—Te recorro…

—¿Es una pluma o tu respiración?

—Es la primera caricia de una tarde de tortura…

## 85

Tras Él se fueron las mariposas, etéreas, volátiles. Ahora Ella está más tranquila, menos ansiosa. No siente un nudo en el estómago a cada rato. Se prepara para retomar su vida, quitar la pausa y seguir a partir del instante en que el primer beso la dejó congelada. Está feliz. Pronto reencontrará la calma cotidiana.

Le da un sorbo a su té rojo y enciende la computadora. Fija su mirada en la pantalla pero únicamente ve el rostro de Él, su sonrisa franca y cálida. Decide, mejor, abrir su agenda para recordar sus pendientes y comenzar a palomearlos (le gusta ser ejecutiva de vez en cuando). Pero ahí, entre las páginas, solo un nombre salta: el de Él que la espera, anotado en cada línea de cada día de cada mes de cada año. ¿Quién, a qué hora, cómo, para qué y por qué se atrevió a agendarlo?

El culpable fue ese amanecer mágico, de volcanes lúdicos y orgullosos. O tal vez pasó desde antes, desde el inicio de los tiempos, desde que inventaron el mito del amor eterno ¿No dicen, acaso, que el futuro está escrito en nuestra mirada?

## 86

Saben que ahí está la muerte, esperándolos. A cada uno le llegará su momento, por separado. ¿Cáncer, paro respiratorio, infarto, algún accidente? Para engañarla, deciden encarar juntos el fin. Se preparan como en un rito. Hacen el amor durante horas y días enteros, hasta quedar sin fuerzas. Se concentran todavía más, pero siguen existiendo. Entonces, se dan cuenta que no les queda otro remedio: para morir de amor, se abandonan. Jamás volverán a verse; es necesario.

Él y Ella todavía respiran, pero han muerto ya.

# 87

Conversación telefónica:

—Nuestra relación no puede seguir.

—¿Por qué?

—Porque ya hemos caído en puros lugares comunes.

—Obviamente: el amor es el más común de los lugares.

—Entonces, inventemos otra cosa.

—Está bien: te odio.

—¿Mucho?

—Muchísimo.

—¿Cómo?

—Te odio apasionadamente.

—¿Cuánto?

—Más de lo que imaginas.

—Pero seguramente menos de lo que quisiera. Yo también te odio. ¡Te odio con toda mi alma!

—Adoro que me odies.

—Y yo amo odiarte.

—¿No es una fortuna que nos odiemos tanto?

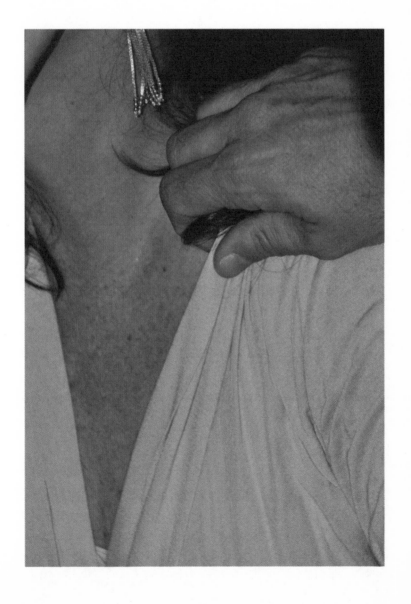

# 89

¿Qué hago metido en esta habitación? La cuatrocientos quince. Sí, recibí tu mensaje. Nada, te entiendo. Se te cruzó la vida. Tu esposo. Nada tonto. Tiene antenas de mujer. Sí, ya sé que te enojaría que le ponga género a las antenas. Pero créeme, las femeninas suelen tener más alcance. Y bueno. Aquí estoy con todos los lugares comunes de la fiesta del adulterio a mi alrededor: botella de champagne en la hielera, una peluca, las esposas. Cinco horas hurtadas de mi agenda familiar. Y una cogida espectacular, gloriosa, los orgasmos que no tendrás hoy conmigo (quizás disfrutes alguno de alcances domésticos con él, sí, doméstico, así lo prefiero pensar) posados como cuervos inertes sobre el alambrado del tedio. De la frustración. Ok, lo admito, estoy encabronado y celoso. Tus ojos no brillarán esta noche para mí. Ni tus risas ni las modulaciones de tu voz que tanta libertad me hacen sentir. ¿No será lo contrario? ¿Y si tus lamentos, pujidos, clamores y gritos de placer son en realidad mis verdugos? Estoy encerrado entre estas paredes con un televisor enfrente y sin ti. Mi ímpetu pulverizado en moléculas mentales, pensamientos intermitentes que no llegan a ningún sitio más que al desencanto. ¿Qué hago? ¿Pongo una película pornográfica y me masturbo? ¿Me emborracho? ¿Bajo al bar a ver si alguna aeromoza está sola? Sí, cómo no, en estos casos siempre hay aeromozas esperando. Capaz de que me ligo a dos. Te amo y te odio porque me amo y me odio. Voy a ordenar una hamburguesa gigante, con queso y tocino. Y me vale un carajo que ese hombre sea tu esposo. Eres mía. Tendrías que haber inventado lo que fuera para poder estar aquí. Soy un idiota.

## 90

Cuando Ella llegó al restaurante, su esposo estaba esperándola. Al verla, se le iluminó el rostro. Sonrió. Se levantó, como todo un caballero, para acercarle la silla. Le tomó la mano y le dijo que era un hombre con mucha suerte. Que después de tantos años todavía le daba una emoción infinita saber que comerían juntos, solos. Ella cerró los ojos y sonrió de manera triste. La culpa le había ensombrecido la mirada.

## 91

Ha pasado el tiempo y sienten mucho frío. Esa piel ajena ya no alcanza a cubrirlos.

## 93

En la mañana, Él y Ella se despidieron con prisa. Por la noche, Él no le hizo el amor a su esposa. Conversaron y cada uno se fue a la intimidad de sus habitaciones separadas. Ella también, de alguna manera, evitó un encuentro carnal con su marido. Ambos sabían que debían serse fieles, aunque sólo fuera en esa ocasión.

## 94

Él le dijo:

He pensado que nunca podré darte la vida que tienes, pero que sí puedo darte la que no tienes.

Ella sonrió, imaginándola.

# 95

—¿En dónde estás? —se preguntó Él, a solas.

También a solas se contestó:

—Ya sé dónde, en mi torrente sanguíneo, en el fuelleo de mis pulmones, en mi sentido del ritmo, en la estrella que guía mis sueños, en la clarividencia del aire, en las texturas del deseo, en la hojarasca del lenguaje, en la polifonía del silencio, en los derrumbes de la ansiedad, en los escalones del tiempo, en la silueta del devenir, en los surcos de la certidumbre, en el iris del calendario.

## 96

Quisiera que tuviéramos una casa donde aterrizar, donde guardar los paracaídas. Una casa con paredes grandes para colgar nuestros colores nuevos.

## 97

En la carta número 2,645 le escribió:

Perdona mi insistencia masiva y misiva, pero soy un adicto a tus palabras. Sin ellas, siento que no soy.

## 98

No busquemos respuestas. Sería muy arrogante tratar de describir el océano, simplemente bañémonos en sus aguas y permitamos que las olas sigan llegando llenas de lo nuestro.

# 100

Hoy es un día soleado y fresco en el que se facilita acomodar las cosas en su sitio, dice Ella.

Él contesta, mientras toca la guitarra:

Acomodemos, entonces, nuestra sed de vida en cada palmo de nuestra piel desnuda.

# 101

—¿Crees que por hacer tanto el amor estemos tan enamorados?

—No lo sé, quizás porque estamos enamorados es que hacemos tanto el amor.

—¿O será que el amor nos hace a nosotros?

102

# 103

Primero:
Acusaciones. Dolor. Lágrimas. Lastimaron y fueron lastimados. Remordimiento. Reclamaciones. Separaciones obligadas.

Después:
Llegó un periodo de calma en el que la culpa aparecía cada vez menos, hasta que logran erradicarla.

Finalmente:
No se sabe si pasaron tres meses o cuatro años hasta que decidieron vivir juntos. Dejaron de temerle al peso de la vida doméstica. Él preparaba el desayuno. Ella tendía la cama. Sus ronquidos aprendieron a convivir durante las noches. Sus ojos comenzaron a verse con la intimidad de lo cotidiano.
Caminatas. Caricias. Armonía. Noches de orgasmos. Cantos. Libros. Fotos. Música. Una guitarra. Hojas en blanco. Otras tachoneadas, listas para reescribirse. Brindis de tinto. Algunos viajes, pocos; en cambio, muchos te amo. Magia. Planes a corto y largo plazo.
Sin embargo, muy en el fondo, ambos vivían con el temor de amanecer, un día cualquiera, desenamorados. Probablemente por esa razón, sin darse cuenta, hicieron un pacto.

Pasaron los años. Dicen, quienes los conocieron, que las mariposas nunca los abandonaron. ¡Y todavía hay quienes insisten en no creer en milagros!

## 104

Nos miramos, pero eso es sólo un decir. Porque tus ojos y los míos, cuando se encuentran, reposan en un nido de luz, en un borbotón de silencio. No tenemos que hablar, y si lo hacemos, es para intercambiar hallazgos, para acrecentar nuestra colección de sonidos, para estrenar vocablos, cuya cáscara nunca habíamos pelado, y saborearlos.

# 105

En este momento, aunque estemos lejos, me llega el perfume de tus palabras recién salidas de tu piel. ¡Soy todo tan tuyo! En ti he encontrado a mi adolescente cómplice. A mi novia, fantasía, pitonisa, que me borra la edad con sus labios y me pone la primavera en el vientre, donde ya despuntaba el otoño.

106

## 107

Lo he pensado bien: no quiero ser un personaje secundario. Tengo afán de conquistarte. No deseo ser puente, sino destino, así que por favor reescribe, por completo, el último capítulo.

# 108

No tengo ninguna respuesta. Ninguna pregunta. Sólo una certidumbre nítida. Y un corazón al que no le cabe ninguna duda.

109

# 110

Fue nuestro primer viaje juntos: Nueva York, principios del verano. ¿Recuerdas?

Por el calor, traigo puesto un vestido ligero y vapo-
roso. Sandalias de tacón bajo. Tú, jeans y playera. Es
de noche y hemos tomado dos o tres whiskys de más.
Entonces, decidimos entrar a uno de esos lugares que
me platicaste. Hay música, aunque el volumen no es
exagerado. Humo. Está en penumbras. Cuando nuestras pupilas se acostumbran a la iluminación, sensual,
recorremos el espacio con una copa en la mano. Hay
de todo pero, en general, los asistentes son atractivos,
bien vestidos y mejor desvestidos. Nos excitamos con
lo que alcanzamos a ver y también con los sonidos que
llegan desde alguna esquina. Conversamos y observa-
mos: disfruto mucho el voyerismo, te confieso, pero el
exhibicionismo no es lo mío.

Me besas la oreja, el cuello. Estoy completamente hú-
meda y quiero que me sientas. Deslizas tu mano entre
mis muslos pero te detienes antes de llegar a mis bragas, mojadas. Una enorme erección es evidente, por
más que tus jeans traten de taparla. Te doy la mano
para que me sigas hacia un sillón de cuero rojo, que
nos ha invitado. Ahí te siento. Te bajo los pantalones
hasta los tobillos. Abres las piernas y comienzo a la-
merte la parte interior de los muslos, de las rodillas

hacia arriba. Una y otra vez. Cierras los ojos. Entre-
abres los labios; dentro de tu boca, tu lengua se mueve,
inquieta. Disfrutas. Comienzo a besar tus güevos…
qué delicia. Aprietas los puños. Me levanto un instante para mojar mis labios con tu saliva (¡qué seca
tienes la boca!) y regreso a mi lugar. Ahora sí, recorro
tu verga con mi lengua, le doy leves mordidas con mis
labios húmedos, la beso de arriba a abajo, con calma,
como si tuviéramos toda la vida para amarnos. En ese
momento siento una mano en mi hombro derecho.
Vuelvo la mirada y veo a una mujer guapísima y deli-
cada. Muy delgada. De pechos apenas insinuados pero
nalgas firmes y redondas; perfectas. Lleva el cabello,
pelirrojo, suelto. Solo viste ropa interior blanca, casi
inocente. Le cedo mi lugar. Me alejo un poco para dis-
frutar el paisaje. Te la mama como toda una experta.
Tú emites sonidos animales. No puedes más, estás a
punto de venirte… por lo tanto, decido regresar. Me
quito las bragas que, ya para este momento, están em-
papadas. Al agacharme, alcanzas a ver mis nalgas y el
principio (¿o será el final?) de mi sexo, ése que tantas
veces has besado. Me sonríes y tus ojos se iluminan.
Ella entiende y se va sin decir nada. Con el vestido
puesto, te monto pero lo hago muuuuuuuuy lentamente. Por el momento, sólo tu glande disfruta del
calor y la suavidad de mi vagina. Poco a poco, sin prisas, estás todo dentro de mí y quieres moverte, pero

no te dejo. Desabotono mi vestido y comienzo a acariciarme. No tengo veinte años pero mis senos conservan firmeza. Mis pezones están erectos. Te excitas más todavía. Bufas una y otra vez. Comienzo a moverme, a veces con delicadeza y, enseguida, de manera salvaje y rápida. Lento otra vez. Rápido... y llega tu orgasmo, gigante, fuertísimo. Profundo, casi doloroso. Eros y Tánatos. Gritas tanto que varios ojos voyeristas se abren más de la cuenta, sorprendidos.

Nos abrazamos en un intento por fundirnos y extender el momento para siempre. Alguien nos trae otra copa. Brindamos. Tú todavía con los jeans en las rodillas y yo con mi vestido abierto. Salimos del lugar cuando está amaneciendo. Cansados. Felices. Enamorados. Llevas mis sandalias en la mano derecha. Con la izquierda me tomas de la cintura. Yo voy descalza de abajo y de arriba. Aprovechando la iluminación tenue y sensual, alguien robó mi ropa interior.

No pudimos encontrarla. No importa; me siento completamente libre mientras nos encaminamos hacia nuestro hotel: es hora de descansar un rato y tal vez, al despertar al mediodía, ¿por qué no?, tengamos otra vez ganas, muchas ganas de amarnos.

# 112

Estoy en plena celebración interna por haberte encontrado.

# 113

—¿Ya te estás aclimatando?
—Sin ti, me estoy aclimuriendo.

# 114

Su esposo le dijo que la masturbación es un horror y un desperdicio. Es la pérdida injustificable de quién sabe qué... no comprendió bien o no quiso entenderlo. Pero lo que sigue es citado. Le pidió que fuera a su estudio, al lado de la computadora para tomarle el dictado:

"El riego espermático equivale a las aguas mágicas que fertilizan la relación amorosa. La masturbación no solamente supone la ejecución de un pavoroso genocidio de sesenta millones de posibles seres humanos, sino que impide la germinación del más hermoso jardín de la vida, el amor. Es un desperdicio de energía, una derrama suicida de emociones no compartidas, que equivalen a la saciedad animal en la más espantosa soledad".

Él se masturba todas las noches y a Ella saberlo le encanta. Ella se masturba nada más de imaginarlo.

# 115

# 116

Sabes muy bien que te estás equivocando, que historias como ésta nunca tienen finales felices. Conoces el enorme peligro que corres. Los riesgos que te acechan. Podrías perderlo todo. Tu razón tiene razón pero decides no escucharla. Te lo ha dicho varias veces: amar es otra cosa, esto no es más que un enamoramiento pasajero, placer puro, reacción química, un golpe enorme de adrenalina. Tienes los síntomas: corazón acelerado, la excitación que se alterna con el miedo, un deseo físico insaciable, irrefrenable. Su ausencia te obsesiona. Su imagen ocupa toda tu mente y no le deja espacio a nada más. Es una pasión literalmente descontrolada. Sabes muy bien que no podrás dominarla y que, si quieres sobrevivir, debes darte la vuelta y correr hacia el lado contrario. Huir. Y, sin embargo, sigues caminando hacia Él porque tienes la estúpida ilusión de poder renacer en su piel y regresar a tu esencia.

# 117

Ella:
¿Sabes? Si escribiéramos esta novela, equivaldría a hacernos el harakiri.

Él:
No, más bien el harekrishna.

# 118

Llegará el momento en el que nuestros cónyuges acepten que lo nuestro es un hecho, como cuando un volcán genera una isla y no le queda al mar más que admitir que su oleaje rompe en playas nuevas.

## 119

Ella ve una película absurdamente cursi sobre un hombre y una mujer que, a pesar de amarse con locura, no pueden seguir juntos. Todo está en su contra. Ella, entonces, llora. No logra contener sus lágrimas; imposible. Después de un largo rato, suspira: finalmente ha entendido. Lo acepta.

# 120

Él está en la sala de espera del médico. Mientras llega su turno, lee en una revista:

"Enamorarse, lejos de ser una sagrada comunión de almas, es el efecto de un flujo de substancias químicas que crean una revolución interna y convierten lo racional en irracional. Ante todo, es un fenómeno biológico".

Enojado, arranca el artículo (ante la mirada de desaprobación de la recepcionista) y lo rompe en pedazos minúsculos. No quiere aceptarlo; siempre ha sido un soñador. Sin embargo, sin que Él lo note, en su torrente sanguíneo comienzan a agotarse sus reservas de dopamina, norepinefrina, feniltelitamina, serotonina y oxitocina.

# 121

Él y Ella se despertarán un día soleado, pero bastante frío. Se mirarán de almohada a almohada. Tratarán de sonreírse, como todas las mañanas. Querrán decirse algo. En ese momento se hará evidente que la magia ha acabado.

Se levantarán, cada uno por su lado, pensando en todo el dolor que, meses atrás, causaron.

En silencio, Ella entrará a la regadera. Él, reacio al baño, se mirará en el espejo y observará sus ojos apagados.

Saldrán de su casa un rato después, envejecidos cien años.

No se despedirán: no será necesario.

122

# 123

Estoy convencido de que somos el uno para el otro, a pesar de todas las complicaciones que tenemos desde el punto de vista práctico, lógico, coherente, sensato. Lo nuestro va por otra vertiente. Transcurre y se va engrosando conforme pasa. Haciéndose río, destino. Fluye en ese mundo maravilloso que hemos despertado. En estos párrafos desesperados y adúlteros. En ese futuro mágico, en ese tiempo nuevo que nos aguarda. Lo nuestro va por el camino de la intuición, de la seguridad infundada pero contundente, de la convicción total pero sin explicaciones. Lo nuestro, amor, es inexplicable.

Dice Hermann Hesse: "Todo el que nace tiene que romper un mundo". ¿Estamos por nacer?

# 124

Su marido le dice que en el vapor del club le pasaron un tip para tener amantes y no salir perdiendo. Para no tener problemas.

—¿Cuál es? —pregunta Ella, aparentemente desinteresada.

—No hacer el amor con la misma mujer más de veinte veces —responde.

—¿Veinte, no veintiuna o ventitrés?

—Veinte.

—¿Cómo si fuera una regla científica?

—Sí. Ya que llegas a veinte, comienzas a retirarte lentamente, con cualquier excusa, poco a poco, para no terminar involucrado.

—¡Ah! —dice Ella, suspirando—. Y ¿cómo se lleva la cuenta? —pregunta mientras, mentalmente, trata de contar las veces que se ha acostado con Él.

—Supongo que pones palomitas en tu agenda —ríe. Ríen ambos sin saber por qué.

Unos minutos después, Ella llega a una conclusión, también científica: no necesita llegar al número veinte, pues desde la primera vez se involucró hasta los huesos.

# 125

¿Y si esto sigue creciendo? Me cae que no te suelto.

# 126

Los dos lo dijeron al mismo tiempo, sin ponerse de acuerdo y después de un largo suspiro:

¡Ay, en qué amor nos fuimos a meter!

## 127

FIN

·

Les agradezco todo, como siempre y para siempre, a Franz y a Isabella.

Agradezco también…

…la invaluable amistad cantinera y cómplice de Ramón Córdoba.
…la confianza y el apoyo de Marcela González y Fernando Esteves.
…la mirada de Teseo Fournier.
…los consejos lúdicos de Amando Almazán.
…la lectura crítica y sugerencias de Adriana Abdó, Erma Cárdenas, Javier Sunderland, Sandra Frid, Bertha Balestra, Ana Díaz, María Teresa Gérard, Rebeca Orozco, Beatriz Graf, Ruth Reséndiz, Lorena Balvanera y Adriana Caballero.

*Beatriz*

Gracias a Beatriz Rivas por visualizar un libro donde había un par de whiskys.

Gracias a mi bella Patricia Plaza por apoyarme siempre y dejarme ser.

Gracias a Paloma Traeger por ser genial.

Gracias a mi adoradísima madre por creerse todo lo que le digo (yo también me lo creo, madre) y a mi tía Adelaida Villela por creer en mis palabras.

Gracias a Alex López Negrete por ser un amigo, un caballero y un colega de los que no hay.

Gracias a Alex López Negrete, a Fer Gómez y a Matías Lanzi por ayudarme a darle vida a las rolas que gravitan en torno a este libro.

Gracias a Andrea Kaminietzky y a Flor Alas por su amable lectura y opiniones.

Muchas, pero muchas gracias a Alfaguara: Ramón Córdoba, Marcela González y Fernando Esteves.

Y a Teseo Fournier, ¡cámara!

_Federico Traeger_